ZIJN WOLVEN BANG IN HET DONKER?

Huw Lewis Jones
EXPEDITIELEIDER

Sam Caldwell
WILDEDIERENTEKENAAR

LEMNISCAAT ROTTERDAM

Hallo allemaal, ik ben Huw! Zijn jullie er klaar voor? Ik ben jullie gids en neem jullie mee naar de wildernis om de waanzinnige wolven te leren kennen. Ik heb mijn camera en dagboek bij me, want er valt altijd wel wat nieuws te ontdekken.
Ik ben Sam en het is mijn taak om de wolven te tekenen die we tegenkomen. We zullen je laten zien hoe fantastisch ze zijn, zodat je van ze gaat houden.

INHOUD

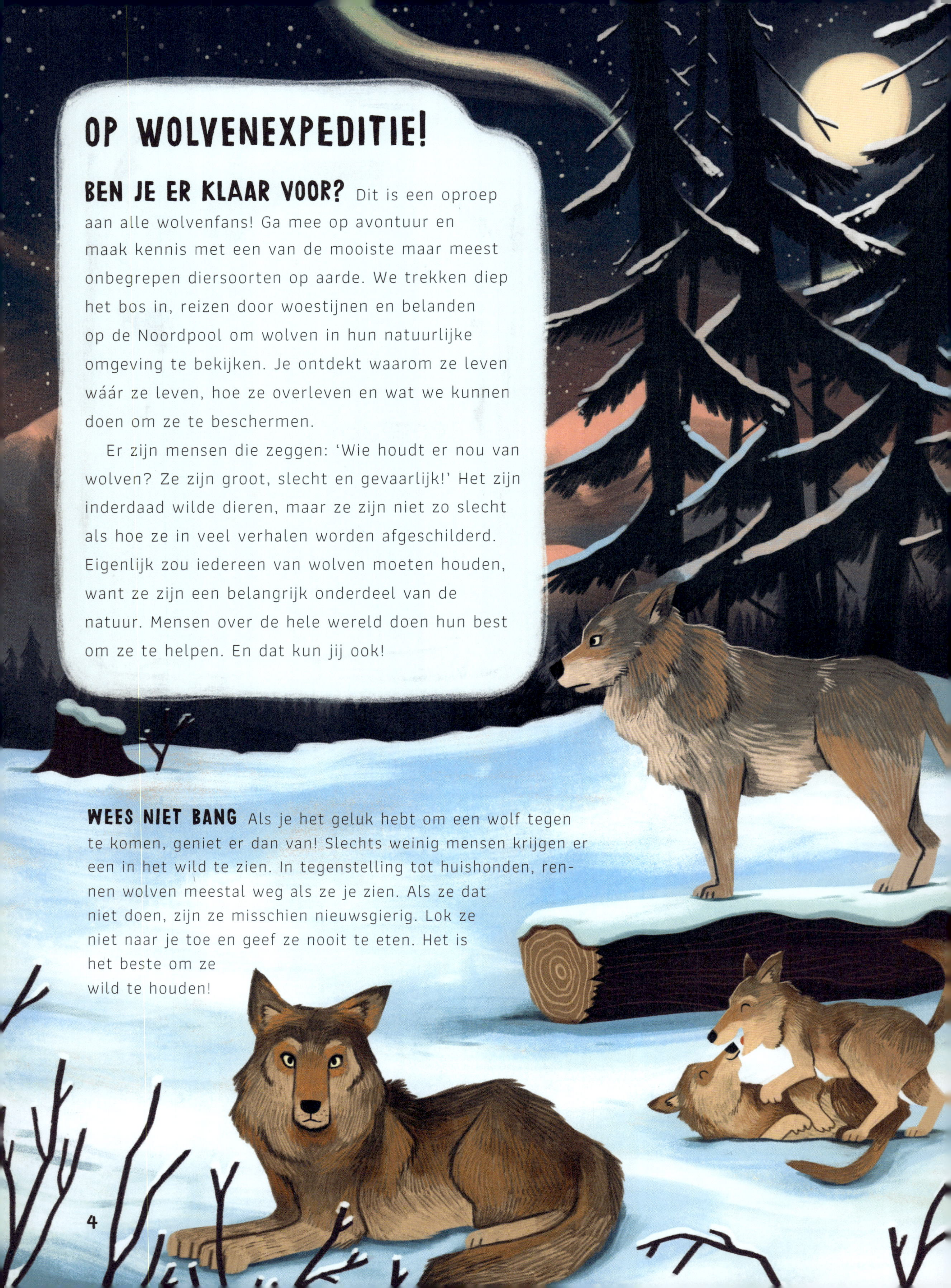

OP WOLVENEXPEDITIE!

BEN JE ER KLAAR VOOR? Dit is een oproep aan alle wolvenfans! Ga mee op avontuur en maak kennis met een van de mooiste maar meest onbegrepen diersoorten op aarde. We trekken diep het bos in, reizen door woestijnen en belanden op de Noordpool om wolven in hun natuurlijke omgeving te bekijken. Je ontdekt waarom ze leven wáár ze leven, hoe ze overleven en wat we kunnen doen om ze te beschermen.

Er zijn mensen die zeggen: ‘Wie houdt er nou van wolven? Ze zijn groot, slecht en gevaarlijk!’ Het zijn inderdaad wilde dieren, maar ze zijn niet zo slecht als hoe ze in veel verhalen worden afgeschilderd. Eigenlijk zou iedereen van wolven moeten houden, want ze zijn een belangrijk onderdeel van de natuur. Mensen over de hele wereld doen hun best om ze te helpen. En dat kun jij ook!

WEES NIET BANG Als je het geluk hebt om een wolf tegen te komen, geniet er dan van! Slechts weinig mensen krijgen er een in het wild te zien. In tegenstelling tot huishonden, rennen wolven meestal weg als ze je zien. Als ze dat niet doen, zijn ze misschien nieuwsgierig. Lok ze niet naar je toe en geef ze nooit te eten. Het is het beste om ze wild te houden!

WAT HEB IK NODIG? Om op avontuur te gaan, heb je vooral een dapper hart en warme kleren nodig! Met een goede, waterdichte jas ben je bestand tegen weer en wind. Neem altijd een notitieboek mee om in te tekenen en aantekeningen in te maken. Een verrekijker is handig en we gebruiken vaak een speciale telescoop om dieren te bekijken die zich op grote afstand bevinden. Vergeet niet een veldfles mee te nemen voor drinken en een zaklamp voor als het donker wordt...

WOLVENWIJSHEID Dit boek vertelt je over de verschillende wolvensoorten, de geweldige plekken waar ze leven, het voedsel dat ze eten en de uitdagingen waar ze voor staan in onze veranderende wereld. Wolven zijn wilde dieren en het is een voorrecht om ze in de natuur te zien. We moeten alle dieren respecteren en ze de ruimte geven die ze nodig hebben.

HET BOS IN

WIL JE EEN WOLF ONTMOETEN? Als je goed luistert, hoor je misschien eenzaam gehuil in de verte. Er kunnen steeds meer wolven meedoen... De rillingen lopen dan vast over je rug. Het is een fantastisch geluid en je hoeft er niet bang voor te zijn! Deze wolven praten met elkaar. Mensen zijn al duizenden jaren bang voor wolven, maar als we ze beter begrijpen, gaan we misschien anders naar ze kijken.

FAMILIEBANDEN Wolven lijken misschien eng, maar het zijn heel zorgzame dieren. Ze leven in grote familiegroepen waarin samenwerking en trouw belangrijk zijn. De familieband tussen wolven is zo sterk dat ze zelfs hun leven geven om elkaar te beschermen.

STEEDS MINDER WOLVEN Hoe meer mensen er op aarde kwamen, hoe meer plekken in de natuur waar wolven leefden werden vernietigd. Bossen werden gekapt en in veel landen konden wolven nergens meer heen. In België waren de wolven maar liefst 100 jaar verdwenen en in Nederland zelfs 150 jaar! Gelukkig herstelt de populatie zich inmiddels, maar helaas worden nog steeds habitats vernietigd.

TREURIGE GESCHIEDENIS Ongeveer 12.000 jaar geleden begon de mens schapen, geiten en koeien te houden. Maar deze dieren zijn ook voor wolven een bron van voedsel, dus kwamen wolven het bos uit om op ze te jagen. Mensen begonnen wolven te doden om hun dieren te beschermen. Zo begon de strijd van mens tegen wolf.

HERSTEL Gelukkig maken wolven inmiddels een comeback in heel Europa en Noord-Amerika. In 1995 werden er opnieuw wolven losgelaten in Yellowstone National Park in de Verenigde Staten en sindsdien gedijen ze daar goed (lees meer op pagina 40).

WILDE HARTEN

WAAR WONEN WOLVEN? Wolven komen over de hele wereld voor. Ze kunnen overleven in allerlei klimaten, van hete woestijnen in West-Azië tot ongelooflijk koude plekken, zoals Groenland en Noord-Rusland. Vroeger leefden wolven op het grootste deel van het noordelijk halfrond. Door de vernietiging van hun leefgebied en doordat er op ze gejaagd werd en wordt, leven ze nu in een veel kleiner gebied.

GRIJS EN ROOD In Noord-Amerika leven twee wolvensoorten: de grijze wolf en de rode wolf. Rode wolven komen alleen voor in een klein gebied aan de kust van North Carolina. In Noord-Amerika zijn de belangrijkste ondersoorten van de grijze wolf de poolwolf, de *Canis lupus occidentalis*, de buffelwolf, de Mexicaanse wolf en de Amerikaanse wolf, die volgens sommige experts weleens een aparte wolvensoort zou kunnen zijn.

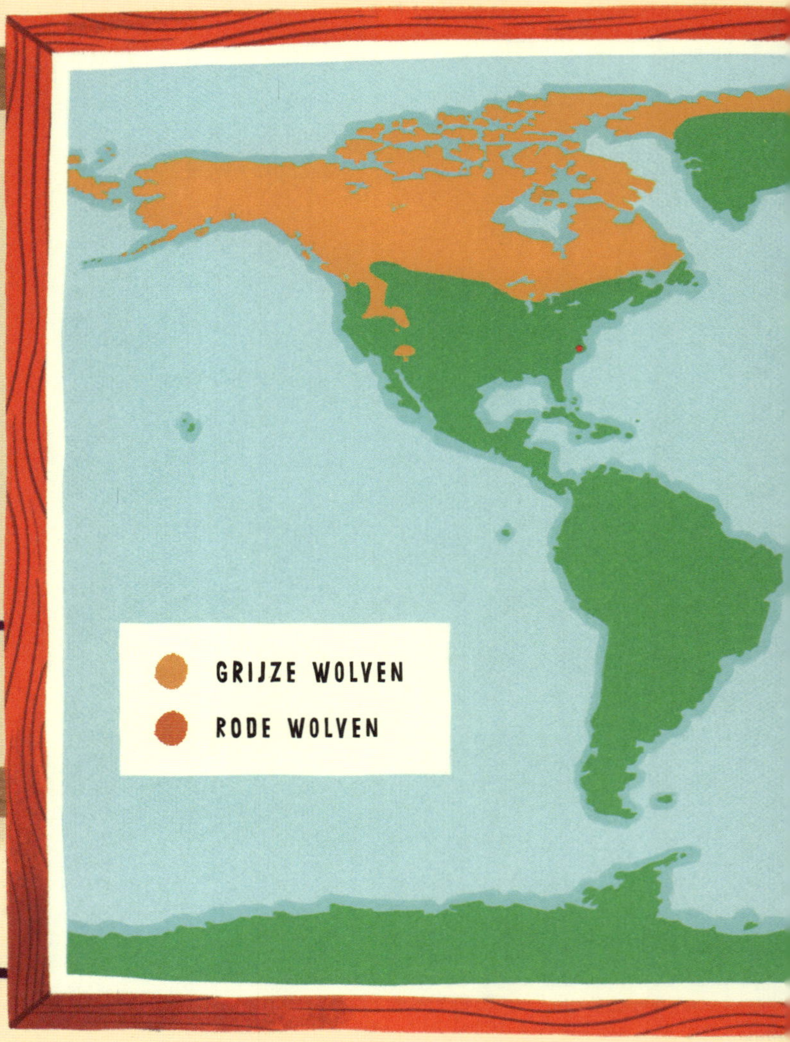

DE GROTE DISCUSSIE Er is nog steeds discussie over hoeveel wolvensoorten er nou eigenlijk zijn en hoeveel ondersoorten de grijze wolf heeft. Wetenschappers zijn het er bijvoorbeeld niet over eens of er in Noord-Amerika meer dan twintig ondersoorten leven of slechts vier. Raak je daarvan in de war? Maakt niet uit. Sommige wolven lijken zoveel op elkaar dat alleen superexperts het verschil kunnen zien. Het enige dat je hoeft te onthouden, is dat alle grijze wolven geweldig zijn.

IEDER EEN EIGEN NAAM In verschillende landen en culturen kan dezelfde wolvensoort verschillende namen hebben. Zo wordt een grijze wolf die in een bosrijk gebied leeft soms een 'boswolf' genoemd, terwijl een grijze wolf die in een afgelegen noordelijk landschap leeft een 'toendrawolf' wordt genoemd [de toendra is een koude vlakte waar geen bomen groeien].

OVERAL OP AARDE Er bestaan allerlei ondersoorten van de grijze wolf, zoals de Iberische wolf, die alleen in Spanje en Portugal voorkomt, *Canis himalayensis*, de wolf uit de Himalaya die een dikke vacht heeft om te kunnen overleven in een ijskoud klimaat, en de kleinste wolf van allemaal: de Arabische wolf, die in het Midden-Oosten leeft.

HERKEN DE WOLF

HEBBEN WOLVEN NEVEN EN NICHTEN?

Wolven zijn de grootste leden van de familie der hondachtigen, waar ook vossen, jakhalzen, coyotes, wilde honden en huishonden bij horen.

Om erachter te komen welke dieren nauw aan elkaar verwant zijn, kijk je naar hun wetenschappelijke naam. De wetenschappelijke naam van de grijze wolf is *Canis lupus*. Het eerste deel van de naam beschrijft het geslacht en het tweede deel de soort.

Als twee diersoorten dezelfde geslachtsnaam hebben, zijn ze nauw aan elkaar verwant. Alle soorten die hier zijn afgebeeld, horen bij het geslacht *Canis*!

DE RODE LIJST VAN DE IUCN Wetenschappers houden alle wolvensoorten nauwlettend in de gaten om ervoor te zorgen dat het goed met ze gaat. Aan dit symbool kun je op de volgende pagina zien welke soorten onze hulp het hardst nodig hebben. Er leven verspreid over de wereld honderdduizenden grijze wolven, maar in verschillende landen worden ze nog steeds bedreigd.

DE GRIJZE WOLF De meest voorkomende wolvensoort is de grijze wolf. Er bestaan meer dan twintig ondersoorten en ze zijn niet allemaal grijs! Ze kunnen ook zwart, bruin, beige of sneeuwwit zijn.

WETENSCHAPPELIJKE NAMEN Elk levend wezen op aarde dat wordt ontdekt, krijgt een unieke wetenschappelijke naam die bestaat uit twee Latijnse woorden, die altijd cursief worden gedrukt. Deze naam is overal ter wereld hetzelfde. Hierdoor kunnen mensen die verschillende talen spreken zonder spraakverwarring over dieren praten.

GRIJZE WOLF

CANIS LUPUS De meest voorkomende wolvensoort.

WAAR? Verenigde Staten, Canada, Groenland, Europa, Rusland en China

HOEVEEL? 250.000

LEVENSDUUR? 6-12 jaar

STATUS RODE LIJST IUCN: Niet bedreigd

RODE WOLF

CANIS RUFUS Er bestaan nog maar heel weinig exemplaren. Ze leven in een klein deel van de VS.

WAAR? North Carolina in de Verenigde Staten

HOEVEEL? Slechts 20-30

LEVENSDUUR? 6-7 jaar

STATUS RODE LIJST IUCN: Ernstig bedreigd

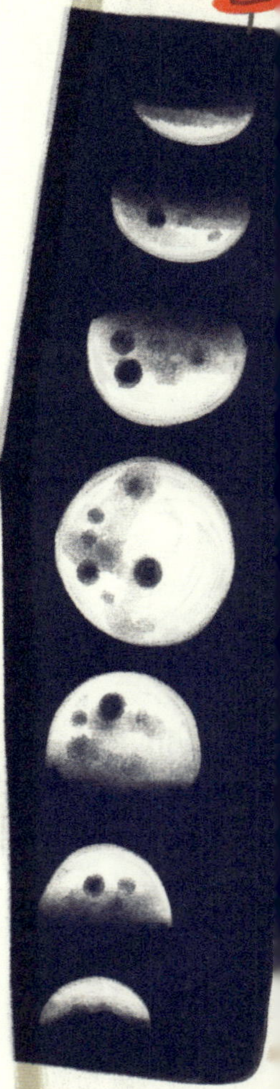

ETHIOPISCHE WOLF

CANIS SIMENSIS De meest bedreigde vleeseter van Afrika. Er is meer onderzoek nodig en ze moeten beter worden beschermd om hun soort te behouden.

WAAR? De hooglanden van Ethiopië

HOEVEEL? Misschien minder dan 400

LEVENSDUUR? 8-9 jaar

STATUS RODE LIJST IUCN: Bedreigd

AFRIKAANSE GOUDEN WOLF

CANIS LUPASTER Eerder dacht men dat deze wolven goudjakhalzen waren, maar we weten nu dat het een eigen soort is.

WAAR? Noord-Afrika

HOEVEEL? Onbekend

LEVENSDUUR? 8 jaar

STATUS RODE LIJST IUCN: Niet bedreigd

DINGO

CANIS DINGO Deze onbegrepen dieren zijn vooral bekend in Australië, maar er leven ook een paar wilde dingopopulaties in Zuidoost-Azië.

WAAR? Australië en Zuidoost-Azië

HOEVEEL? 10.000-50.000

LEVENSDUUR? 7-10 jaar

STATUS RODE LIJST IUCN: Niet bedreigd

COYOTE

CANIS LATRANS Coyotes zijn kleiner dan grijze wolven. Ze passen zich makkelijk aan en kunnen op veel meer plaatsen leven dan wolven, ook in een stedelijke omgeving. Ze lijken het niet erg te vinden als er mensen in de buurt zijn.

WAAR? Noord-Amerika

HOEVEEL? 250.000-750.000

LEVENSDUUR? 6-10 jaar

STATUS RODE LIJST IUCN: Niet bedreigd

GOUDJAKHALS

CANIS AUREUS Goudjakhalzen leven in familiegroepen en kunnen overleven op allerlei soorten voedsel, van zoogdieren tot fruit.

WAAR? Europa en Azië

HOEVEEL? 150.000

LEVENSDUUR? 8-9 jaar

STATUS RODE LIJST IUCN: Niet bedreigd

HUISHOND

CANIS FAMILIARIS Honden kwamen tienduizenden jaren geleden voort uit wolven. Ze leefden in de buurt van mensen en werden elke generatie tammer. Uiteindelijk ontstonden zo de honden die we vandaag de dag kennen.

WAAR? Wereldwijd

HOEVEEL? 900 miljoen

LEVENSDUUR? 10-13 jaar

STATUS RODE LIJST IUCN: Niet bedreigd

VERRE VOOROUDERS

BESTONDEN ER DINOWOLVEN? Nadat een asteroïde 66 miljoen jaar geleden op aarde insloeg en de grote dinosaurussen en veel andere roofdieren uitroeide, ging het steeds beter met de zoogdieren. Langzaamaan ontstond er een grote verscheidenheid aan soorten. Lang voor de mens ontstond, leefden er allerlei vreemde en wonderlijke wezens, zoals mammoeten, reuzengordeldieren en zelfs wolharige neushoorns!

Door fossielen te onderzoeken, komen onderzoekers meer te weten over de geschiedenis van dieren. Dankzij fossielen van de vroegste grijze wolven weten we dat ze ongeveer een miljoen jaar geleden op aarde verschenen. Ze leefden naast reuzendieren, zoals enorm grote holenberen en sabeltandkatten.

OVERGROOTCAVIA'S! Veel biologen denken dat de wolf voortkomt uit primitieve vleeseters, de *miaciden*, waarvan sommige zo groot waren als cavia's. Deze dieren verschenen ongeveer 52 miljoen jaar geleden voor het eerst.

HONDENMARTER De eerste hondachtige ontstond pas laat in de evolutie van de miaciden: *Cynodictis*. Dat betekent 'slanke hondenmarter'. Hij had een lang lijf en leek een beetje op een uitgerekte vos met trekken van een wilde kat. Hij kon in bomen klimmen en daar leven.

REUZENWOLVEN In Los Angeles hebben archeologen botten gevonden van oude reuzenwolven. Het waren grote, sterke aaseters die botten konden doorbijten en waarschijnlijk net als de wolven die we nu kennen in roedels leefden en jaagden.

REUSACHTIGE REIS De eerste echte grijze wolf, *Canis lupus*, verscheen waarschijnlijk ongeveer een miljoen jaar geleden in Europa en Azië tijdens het grote tijdvak dat we het Pleistoceen noemen. Wist je dat Europa en Azië, toen de zeespiegel nog veel lager lag, door een landstrook met Noord-Amerika verbonden werden?

De grijze wolf trok over deze landstrook naar Noord-Amerika. Hij arriveerde daar lang voordat de eerste mensen er aankwamen! De voorouders van de inheemse Amerikaanse en Inuitvolken trokken pas 18.000 jaar geleden voor het eerst vanuit Azië naar Amerika. Toen leefden er nog reuzenwolven op aarde.

HONDENFAMILIE

ZIJN WOLVEN ECHT FAMILIE VAN POEDELS? Het is misschien moeilijk te geloven, maar alle huishonden stammen af van grijze wolven: zelfs mopshondjes en labradoodles! We denken dat de mens zo'n 15.000 jaar geleden wolven ging houden als gezelschap. Na verloop van tijd werden ze gefokt om vriendelijker tegen mensen te zijn. De wolf was het eerste dier dat gedomesticeerd werd. Vandaag de dag zijn honden de populairste huisdieren op aarde!

HULPHONDEN Mensen ontdekten al snel dat honden nuttig waren voor de jacht en om hun huizen te bewaken. Ze waren bovendien leuk om mee te spelen! In de loop der eeuwen werden honden gefokt voor verschillende taken, zoals hard rennen, vee hoeden, sleeën of karren trekken en dieren opsporen en terugbrengen tijdens de jacht.

HETZELFDE MAAR TOCH ANDERS Dankzij hun gedeelde voorouders hebben honden en wolven bepaalde overeenkomsten. Het zijn beide sociale dieren die van gezelschap houden. Ze hebben allebei een geweldig reukvermogen en gebruiken lichaamstaal en geursporen om te communiceren. Maar er zijn ook veel verschillen. Waar honden tam zijn en je ze kunt trainen, zijn wolven wilde dieren die meestal schuw zijn en bang voor mensen.

HET BLIJFT IN DE FAMILIE

Hoe verder honden werden doorgefokt, hoe minder ze op wolven gingen lijken. Maar hoe verschillend ze er ook uitzien, iedere hond – van de piepkleine chihuahua tot de reusachtige Duitse dog – is lid van dezelfde soort hondachtigen: *Canis familiaris*.

SPEELTIJD Net als honden houden wolven van spelen. Ze springen in het rond, stoeien en zitten elkaar achterna. Als een wolf wil spelen, loopt hij naar een andere wolf toe en gaat daarvoor staan met zijn kop omlaag en zijn kont in de lucht. Zo vraagt hij hem om mee te doen. Dit wordt de 'spelboog' genoemd.

VLEESFEESTMAAL

WAT ETEN WOLVEN? Wolven zijn carnivoren: ze eten andere dieren. Het zijn geweldige jagers, die goed samenwerken en kilometerslang kunnen rennen zonder moe te worden. Toch kan jagen moeilijk en gevaarlijk zijn, en lukt het niet altijd.

Wolven eten de meeste dieren: van muizen en konijnen tot grotere dieren, zoals herten, elanden en bizons. Als een wolf echt honger heeft, eet hij zelfs insecten, gras, eikels of bessen. Maar hij eet altijd het liefst vlees.

JACHTPARTIJ
Een wolvenroedel jaagt samen op grote prooien zoals elanden. Een eenzame wolf moet het stellen met kleinere dieren zoals bevers, konijnen en knaagdieren, die ze makkelijker in hun eentje kunnen vangen.

TOPPREDATOR Wolven staan bovenaan de voedselketen. Het zijn roofdieren, net als tijgers, beren en haaien. Maar vergeet niet dat pimpelmezen en relmuizen ook roofdieren zijn. Alles eet iets anders.

FAMILIE-ETENTJE

VISSENDE WOLF In het Canadese Brits-Columbia leeft een unieke ondersoort van de grijze wolf aan de rand van oerbossen die aan de oceaan grenzen: *Canis lupus crassodon*. Deze wolven jagen in strandmeertjes en langs het strand. Ze eten voornamelijk zeedieren, zoals zalm, octopus, mosselen, rankpootkreeftjes en zelfs aangespoelde walvissen.

ETENSTIJD? Wolven eten geen ontbijt, lunch en diner zoals wij. Sterker nog, ze eten soms dagenlang niets. Maar áls ze eten, houden ze zich niet in. Ze kunnen makkelijk 9 kilo vlees in één maaltijd verorberen: dat zijn 200 hotdogs!

OPGEJAAGD Wolven zijn bang voor mensen en vallen ze zelden aan. Maar ze jagen wel op boerderijdieren, zoals schapen en koeien. Dat is de voornaamste reden dat mensen in de loop der jaren miljoenen wolven hebben gedood.

PAS OP WAAR JE LOOPT!

WAAROM IS POEP BELANGRIJK? Op de bosbodem vind je allerlei bijzondere dingen, en niets is interessanter dan poep! Of als je het officiëler wilt zeggen: uitwerpselen. Als je dieren volgt, kun je aan hun poep snel zien hoelang geleden ze zijn langsgekomen. Ga op de grond liggen en kijk goed – is de poep nog warm?

POEPKENNIS Wetenschappers verzamelen uitwerpselen en bestuderen die om meer te weten te komen over het dier dat heeft gepoept. Ze kunnen zo van alles leren over hun gezondheid, hun gedrag, de grootte van hun populatie en natuurlijk wat ze hebben gegeten!

VAN WIE IS DIE DROL? Wetenschappers kunnen zien welke dieren in een gebied zijn geweest door naar uitwerpselen te kijken. Wolvenpoep ziet er vaak uit als een harige cocon. Wolven vreten bijna het hele dier op. Hun poep is omhuld met haren, zodat scherpe botsplinters hun darmen niet beschadigen!

PERFECTE POEP

Carnivoren die veel vlees eten, zoals wolven en leeuwen, hebben dikke, buisvormige poep. Wolvenpoep is meestal donkergrijs en kan 15 cm lang zijn – maar alle hondenbezitters weten dat poep bestaat in alle kleuren en vormen!

HALLO DAAR! Wolven laten hun poep soms op een duidelijk zichtbare plek achter. Zo werkt het als een stinkend teken dat hun territorium afbakent en laat zien waar ze zijn geweest. De poep valt nog meer op als de wolf de grond eromheen met zijn achterpoten heeft opgeworpen, zoals honden doen.

ALLEMAAL FAMILIE

HOE LEVEN WOLVEN? Wolven zijn zeer sociale dieren. Ze leven samen in familiegroepen die 'roedels' worden genoemd. De leden van een roedel hebben elkaar nodig om te overleven. Samen zoeken ze naar voedsel. Ze beschermen elkaar en zorgen samen voor de welpen. Als eenzame wolf kan het leven erg zwaar zijn!

FAMILIEBANDEN Over het algemeen krijgen alleen het alfamannetje en alfavrouwtje, de leiders van de roedel, welpjes, maar de hele roedel helpt mee om ze groot te brengen. Het alfavrouwtje krijgt meestal één keer per jaar een nest.

GROOT EN MOOI De grootte van een roedel kan erg variëren. Meestal leven er tussen de twee en twaalf wolven samen, maar soms is een roedel veel groter! De grootste die ooit door onderzoekers is ontdekt, was de Druid Peak-roedel in het Amerikaanse Yellowstone National Park. Die roedel groeide van slechts acht wolven in 1999 tot 37 in 2001. Daarna splitsten de wolven zich op om meerdere kleinere roedels te vormen.

BAZIG STEL De meeste roedels worden geleid door het alfapaar. Zij nemen de belangrijke beslissingen, zoals wanneer ze gaan jagen, welke kant ze op gaan of waar en wanneer ze gaan slapen.

SAMEN STERK Een roedel bestaat gewoonlijk uit het alfapaar en de welpen die ze dat jaar hebben gekregen. Sommige welpen blijven langer en soms sluit een wolf uit een andere roedel zich aan. Samen leggen ze lange afstanden af.

DE JONKIES

ZORGEN WOLVEN VOOR ELKAAR?

Wolvenjongen worden welpen genoemd. Het alfavrouwtje van een roedel krijgt in april of mei meestal tussen de vier en zes welpen. Als de welpjes worden geboren, hebben ze een pluizige zwarte vacht en wegen ze ongeveer net zoveel als een brood. Ze kunnen nog niet zien of horen. De welpjes brengen hun eerste twee weken dicht bij hun moeder door, totdat ze hun ogen kunnen openen.

BESCHUT EN VEILIG Moederwolven krijgen hun welpjes in een nesthol en brengen ze daar groot – dat is veiliger en biedt ook beschutting. De meeste nestholen zijn in de aarde gegraven, maar wolven trekken ook wel in holle boomstammen, oude beverburchten en zelfs in grotten. Een moeder gebruikt vaak jarenlang hetzelfde nesthol.

GOED EN GATVER Welpjes drinken tot ze ongeveer zes weken oud zijn moedermelk. Daarna braken volwassen wolven die na de jacht terugkeren naar het nesthol voedsel voor de welpen uit. Het lijkt misschien alsof ze misselijk zijn, maar ze geven hun jongen op die manier gedeeltelijk verteerd vlees dat ze kunnen opeten.

LEKKER SPEELGOED Welpen zijn erg speels en nieuwsgierig. Ze besluipen en bespringen elkaar, knabbelen aan elkaar en worstelen en spelen met elkaar. Soms vinden ze een 'speeltje', zoals een veer of een stukje vacht, waar ze zich uren mee vermaken. De welpen oefenen ook hun jachtvaardigheden door kleine dieren, zoals muizen, te vangen.

GEZINSTIJD Als ze ongeveer zes maanden oud zijn, beginnen de welpen mee te jagen met de roedel. Tot die tijd passen de volwassenen om de beurt op ze en leren ze spelenderwijs wat ze moeten kunnen. Na hun eerste verjaardag kunnen wolven hun roedel verlaten om een partner en een eigen territorium te zoeken.

POOTAFDRUKKEN

KUN JIJ DE SPOREN VOLGEN? Een pootafdruk die door een dier wordt achtergelaten, heet een spoor. Wolvensporen zijn groter dan die van de meeste huishonden en andere hondachtigen. Hun voorpoten zijn groter dan hun achterpoten en hun tenen staan wijd uit elkaar, waardoor ze beter over een dik pak sneeuw kunnen lopen. De voorpoot van een volwassen grijze wolf is meestal zo'n 11 cm lang en 10 cm breed.

WIENS SPOOR IS DAT?
In de bossen op het noordelijk halfrond vind je allerlei sporen. Dieren als beren, wolven, dassen, otters en konijnen laten pootafdrukken achter die je makkelijk kunt herkennen. Andere dieren, zoals herten en elanden, laten met hun hoeven anders gevormde sporen achter.

LASTIG TE VINDEN Wolven hebben fantastische jachtvaardigheden, waardoor het heel moeilijk is om ze te vinden. Door hun uitstekende reukvermogen en scherpe gehoor kunnen ze mensen al ontdekken op meer dan anderhalve kilometer afstand. Ze verplaatsen zich ook vaak; soms rennen ze wel 25 km in één nacht.

GEVEDERDE VRIENDEN Je kunt soms wolven ontdekken door omhoog te kijken! Wolven worden vaak gevolgd door raven. Ze hebben een speciaal soort vriendschap – dat wordt 'mutualisme' genoemd. Raven waarschuwen wolven voor gevaar en eten wat er na de jacht overblijft. Onderzoekers hebben ontdekt dat sommige raven hun nest maken in de buurt van nestholen van wolven: ze zagen zelfs welpen en vogels samen spelen!

VERSTOPPERTJE Dierensporen zijn het makkelijkst te zien in de winter, als de grond bedekt is met sneeuw. Maar als de sneeuw te dik is, lijken de afdrukken alleen maar op diepe gaten en zijn ze moeilijk te herkennen. Als er geen sneeuw ligt, kun je naar sporen zoeken op plekken zonder begroeiing, vooral waar de grond zacht is nadat het geregend heeft. De beste afdrukken vind je in modder, op het strand bij eb of op de oevers van meren en rivieren.

NACHTZICHT

ZIJN WOLVEN BANG IN HET DONKER?

Sommige mensen hebben nachtmerries over wolven. Misschien komt dat door de spannende sprookjes voor het slapengaan! Zouden wolven ook nare dromen hebben? Net als mensen voelen wolven emoties, zoals zorgen, angst en geluk. Nieuw onderzoek helpt ons om ze beter te begrijpen. Maar wat vinden wolven van het donker?

NACHTOGEN Net als beren, katten en honden hebben wolven een speciale reflecterende laag achter in hun oogballen. Dit *tapetum lucidum* zorgt ervoor dat ze heel goed in het donker kunnen kijken. Ja, wolven hebben superogen!

GESPOT Wolven hebben een fantastisch zicht. Hun heldere ogen kunnen de kleinste bewegingen in het bos waarnemen en andere wolven van ver herkennen, zelfs in het donker. In de zomer jaagt een roedel meestal 's avonds en keert 's ochtends terug om de hitte van de dag te vermijden. In de winter jagen wolven soms ook overdag, in een eindeloze zoektocht naar voedsel.

GEEN ANGST

Op mensen na hebben wolven niet veel natuurlijke vijanden. Grizzlyberen en poema's jagen ook 's nachts, maar omdat de meeste wolven in roedels leven, hebben ze meestal geen last van andere roofdieren. Al kunnen beren wel proberen om hun prooien te stelen!

LANGE REIZEN In de winter, als er weinig voedsel is, zwerven wolven vaak over bevroren rivieren en meren. Dat is makkelijker dan door dikke sneeuw te lopen. Wolven zijn schemeractief: ze zijn vooral actief rond zonsopgang en zonsondergang. Roedels rusten een groot deel van de dag, zodat ze genoeg energie hebben om, als het donker wordt, vele kilometers te lopen.

SLIM, STERK EN SNEL

WELKE SUPERKRACHTEN HEBBEN WOLVEN NOG MEER? Wolven hebben nog een superkracht: magnetisch zicht! Onderzoekers hebben in wolvenogen een lichtgevoelige stof ontdekt waarmee ze het magnetische veld van de aarde kunnen zien, dat voor ons onzichtbaar is. Dit helpt hen misschien hun weg te vinden als een ingebouwd kompas.

SLIMME JAS De vacht van een wolf bestaat uit twee lagen. De buitenste laag is waterdicht en bestaat uit lange, rechte haren. Daaronder zit een dikke, zachte donsvacht die lichaamswarmte vasthoudt zodat de wolf warm blijft. Wolven die in het ijskoude noorden leven, hebben de zwaarste vacht.

OP WEG Wolven kunnen tot 50 km per dag trekken. Elk jaar leggen ze enorme afstanden af. Wetenschappers volgden een wolf uit Mongolië die in één jaar maar liefst 7.247 km reisde.

STERK EN SNEL Wolven zijn erg goed in het achtervolgen van andere dieren. Ze kunnen heel snel rennen – ze sprinten tot wel 60 km per uur. Met hun sterke kaken en in elkaar hakende tanden kunnen ze hun prooi grijpen en stevig vasthouden. Een grijze wolf kan twee keer zo hard bijten als een Duitse herder.

SCHERPE TANDEN Veel carnivoren hebben scherpe, puntige hoektanden om het vlees van hun prooi mee te doorboren en los te scheuren. De hoektanden van een wolf kunnen wel 4 cm lang zijn!

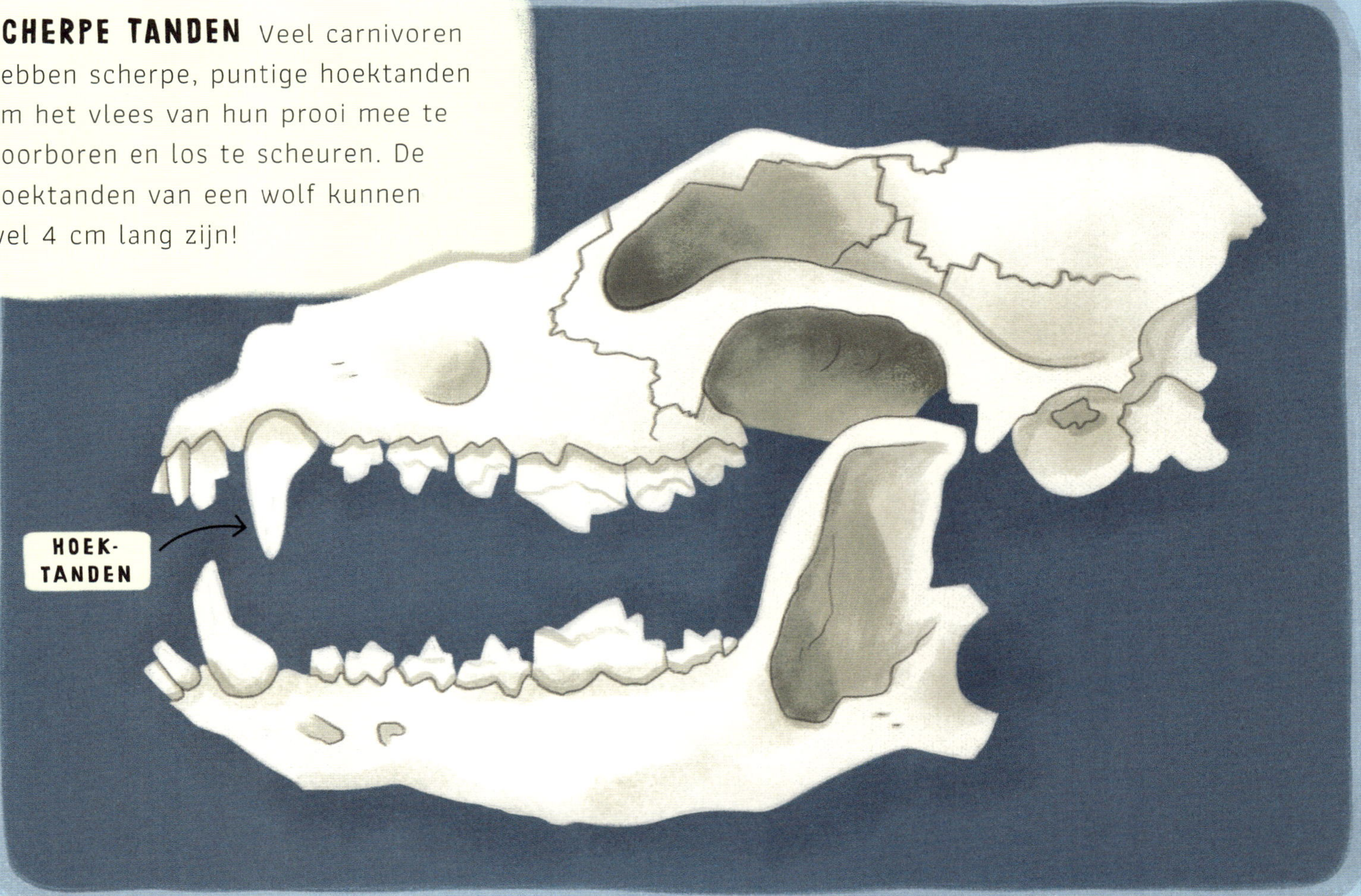

MAANLIED

SPREEK JIJ WOLFS? Wolven praten met elkaar op een bijzondere manier. Wij begrijpen er misschien niets van, maar ze kunnen geweldig communiceren. Wolven blaffen, grommen, janken en keffen, maar zijn vooral beroemd om hun gehuil! Op die manier versturen ze berichten over grote afstanden. Als één wolf begint te huilen, vallen anderen vaak in. Wist je dat wolven soms zelfs zingen om muziek te maken?

DIT BEN IK

Wolvengehuil is een van de meest fantastische natuurgeluiden. Wolven kunnen er de rest van hun roedel mee opsporen en indringers mee verjagen. Voor ons klinkt elke wolf misschien hetzelfde, maar ze huilen allemaal op hun eigen unieke manier.

NAAR DE MAAN Ook al ziet het er gaaf uit in een enge film: wolven huilen niet echt naar de maan. Ze huilen naar elkaar. Als ze dat doen heffen ze hun snuit omhoog, omdat het geluid dan verder draagt. Het gehuil van een wolf kan kilometers ver te horen zijn!

GOEDE LUISTERAARS
Wolven hebben ook een uitstekend gehoor. Je kunt zien hoe ze hun oren spitsen en ronddraaien om verre geluiden op te vangen: zo kunnen ze prooien en naderend gevaar ontdekken. Maar het helpt hen vooral om naar elkaar te luisteren.

VERSCHILLENDE STEMMEN Wist je dat wolven uit verschillende gebieden met verschillende accenten praten? Wetenschappers bestudeerden het gehuil van hondachtigen, zoals wolven, jakhalzen en honden, en ontdekten dat diverse ondersoorten andere huilpatronen hadden.

STAND VAN ZAKEN

BEGRIJPEN WOLVEN ELKAAR? Wolven communiceren niet alleen met hun stem, maar ook via geur, lichaamstaal en gezichtsuitdrukkingen. Dankzij hun duidelijke communicatie kunnen wolven voor hun jongen zorgen, hun territorium verdedigen en samenwerken om op veel grotere prooien te jagen.

IK KAN JE RUIKEN

Het reukvermogen van een wolf is honderd keer sterker dan dat van een mens! Wolven maken een soort geurkaart van hun territorium: ze laten hun geur op specifieke plekken achter zodat andere wolven die kunnen vinden. Deze geurplekken worden 'geurvlaggen' genoemd en kunnen dienen als waarschuwing voor andere roedels om uit de buurt te blijven.

PLASSNUFFELEN

Eén manier waarop wolven geurvlaggen achterlaten is door te plassen – wetenschappers noemen dit 'sproeien'. Dit doen zowel mannetjes- als vrouwtjeswolven. De plas van elke wolf ruikt anders. Wolven weten waarschijnlijk precies welke wolf een bepaalde plas heeft achtergelaten door er even aan te ruiken!

HIER BEN IK Wolven plassen graag op opvallende plekken. Bomen, hekpalen en rotsen zijn goede plaatsen. Geurvlaggen zijn eigenlijk een soort onzichtbare graffiti. Wolven zeggen op deze wijze: 'Ik was hier!'. Wolven hebben ook klieren tussen hun tenen die geur produceren. Ze krabbelen aan de aarde om hun geur te verspreiden.

LICHAAMSTAAL

Wolven zeggen in lichaamstaal...

VERHALEN

ZIJN WOLVEN ECHT ZO SLECHT?

Wolven komen voor in onze oudste verhalen. Ze sluipen door volksverhalen en sprookjes en roepen zowel verwondering als angst op. Maar je moet *Roodkapje* of *De drie biggetjes* niet geloven! Wolven willen je oma niet opeten of je huis omverblazen! Ze hebben veel meer reden om bang voor ons te zijn dan wij voor hen.

Hoe meer mensen er op de wereld kwamen, hoe meer plekken werden vernietigd waar wolven al duizenden jaren leefden. Wolven en mensen kwamen steeds vaker met elkaar in contact, wat er meestal toe leidde dat de wolven in de problemen kwamen. We moeten weer leren samenleven en de geschiedenis herschrijven!

HET BEGIN VAN ROME Volgens de Romeinse mythologie werd Rome gesticht door de tweeling Romulus en Remus, die als baby's waren gered door een wolvin die hen haar melk liet drinken.

SCHEPPERS VAN DE AARDE Wolven spelen een belangrijke rol in de cultuur van de inheemse volken van Noord-Amerika. In veel verhalen staan ze symbool voor intelligentie, genezing, moed en trouw. De Cree geloven dat goddelijke wolven de aarde bezochten als in de winter het noorderlicht zichtbaar was. Medicijnmannen van de Cheyenne wreven de pijlen van krijgers tegen wolvenvachten om succes te brengen bij de jacht. Sommige volken vertellen zelfs verhalen over een wolf die de aarde heeft geschapen.

NOORDSE MYTHEN

In oude noordse verhalen heeft de god Odin twee wolven die hem vergezellen: Geri en Freki. Hij gaf hun al het eten van zijn tafel en dronk zelf alleen wijn. Tijdens de eindstrijd wordt Odin opgeslokt door een reusachtige wolf genaamd Fenrir.

HUILENDE GOD Voor de Ainu in Japan was de wolf 'Horkew Kamuy': de huilende god. Ainu-jagers lieten delen van hun prooien achter voor wolven en behandelden ze met respect.

GEDAANTE-VERWISSELAARS

Volgens de mythen van sommige inheemse volken deelden wolven en orka's dezelfde geest. De Joepiken in Alaska geloofden dat ze op verschillende momenten in het jaar van gedaante verwisselden.

SLECHTE VERHALEN Toen *De fabels van Aesopus* in 1484 voor het eerst in Engeland werden gepubliceerd, stonden daar verhalen in over sluwe en hongerige wolven. Op dat moment werden de echte wolven juist met uitsterven bedreigd door de jacht. In 1760 waren alle wolven in Groot-Brittannië dood.

MOEILIJKE TIJDEN

ZULLEN WOLVEN UITSTERVEN?

Kun jij raden wat het gevaarlijkste dier op aarde is? Dat zijn wij, zeker weten! Mensen hebben meer natuur vernietigd dan welke andere diersoort dan ook. Door ons zijn de wolven uitgestorven in meer dan de helft van de gebieden waar ze vroeger leefden. Hoewel het afschieten van wolven nu in veel landen illegaal is, zijn de wetten moeilijk te handhaven en worden er nog steeds veel gedood. We kunnen deze dieren niet laten verdwijnen!

ZWARTE WOLF VAN FLORIDA

LAATST GEZIEN: 1908

De zwarte wolf van Florida, een ondersoort van de rode wolf, verdween doordat zijn leefgebied werd vernietigd en er op hem werd gejaagd door mensen die hun vee wilden beschermen. Ze leefden in de buurt van de Indian River Lagoon en aten kleine herten en knaagdieren. In Florida leven nog steeds zwarte beren en panters – zou het niet geweldig zijn als er ook weer wolven waren?

CANIS LUPUS HATTAI

LAATST GEZIEN: 1945

Deze uitgestorven ondersoort van de grijze wolf wordt, samen met de eveneens uitgestorven *Canis lupus hodophilax*, ook wel de Japanse wolf genoemd. Boeren vonden deze wolven een bedreiging voor hun paarden en doodden ze, meestal met vergiftigd vlees dat in vallen werd achtergelaten. Ze werden voor het laatst op het Russische eiland Sachalin gezien.

GREGORY'S WOLF

LAATST GEZIEN: 1980

Gregory's wolf is de wolf die het meest recent in het wild is uitgestorven. Het was een slanke ondersoort van de rode wolf die leefde in het moerasgebied van het zuidelijke deel van de Mississippi. Zijn vacht was een mengsel van zwart, wit, grijs en roodbruin.

DE ZELDZAAMSTE WOLF

MINDER DAN 20 IN HET WILD

De rode wolf is op dit moment de meest bedreigde wolvensoort. In 1980 werd hij in het wild uitgestorven verklaard, maar er werd een fokprogramma gestart om hem terug te brengen. Inmiddels leven er weer een paar rode wolven in het wild in North Carolina en er is hoop dat de populaties zich ooit zullen herstellen.

LET OP! Dieren die 'bedreigd' zijn, zullen waarschijnlijk binnenkort uitsterven, tenzij we snel handelen. Bedreigde dieren lopen gevaar door bijvoorbeeld habitatverlies, jacht, vervuiling en de klimaatcrisis. Als een dier is uitgestorven, leeft het nergens meer op aarde. Dat mag niet gebeuren!

VERWILDERING

KAN HET WEER GOEDKOMEN MET DE WOLF?

KAN HET WEER GOEDKOMEN MET DE WOLF? Aan het begin van de twintigste eeuw zag het er erg slecht uit voor wolven. In veel landen waren ze al volledig verdwenen, en in veel andere gebieden leefden er nog maar gevaarlijk weinig. Dit kwam vooral doordat mensen op wolven jaagden om hun vee te beschermen. Gelukkig zijn er wetten aangenomen om wolven te beschermen en tegenwoordig keren ze in veel gebieden terug.

ROEDELS IN HET PARK

In het Amerikaanse Yellowstone National Park leefden ooit veel wolven, maar in 1926 waren ze uitgeroeid. In 1995 introduceerden wetenschappers Canadese grijze wolven in het park en sindsdien zijn ze daar gebleven. Dit herintroductieproject wordt als een groot succes beschouwd en heeft de weg vrijgemaakt voor de herintroductie van wolven op andere plaatsen. Maar wolven die buiten de grenzen van het park rondzwerven, lopen nog steeds het risico om afgeschoten te worden door mensen die niet van wolven houden.

KETTINGREACTIE

Wolven zijn een 'sleutelsoort'. Dat betekent dat ze een belangrijke invloed hebben op hun natuurlijke leefomgeving. Als wolven uit een gebied verdwijnen, kunnen de dieren waarop ze normaal jagen, zoals herten en elanden, onbeperkt vermeerderen. Dit kan ertoe leiden dat deze soorten honger lijden en ziek worden én dat veel planten, bomen en andere dieren uit deze omgeving verdwijnen.

COMEBACKTOUR

Dankzij nieuwe wetten en natuurbescherming herstelt het aantal wolven zich in een groot deel van Europa. Er verschijnen zelfs weer wolven in landen waar ze lange tijd niet zijn gezien, zoals Denemarken en Nederland.

NOG STEEDS OPGEJAAGD Op sommige plekken is de jacht op wolven nog steeds toegestaan, terwijl de populatie gevaar loopt. Natuurbeschermingsorganisaties voeren actie om dat te veranderen, maar de angst en het onbegrip van mensen vormen nog steeds de grootste bedreiging voor het voortbestaan van de wolf.

WOLVENWETENSCHAP

KAN TECHNOLOGIE WOLVEN HELPEN?

Er worden op dit moment over de hele wereld studies naar wolven uitgevoerd. Onderzoekers komen meer te weten over het dagelijks leven van wolven door hen speciale halsbanden om te doen die hun bewegingen volgen. Ze nemen ook bloedmonsters en verzamelen poep om hun gezondheid en voedingsgewoonten beter te begrijpen.

SLIMME HALSBANDEN In volghalsbanden zit allerlei technologie. Veel halsbanden bevatten een gps-systeem dat de hele dag door updates van de locatie verstuurt, zodat te zien is waar de wolf zich bevindt. Halsbanden kunnen ook berichten versturen en bevatten een radiozender. Ze kunnen zo worden geprogrammeerd dat ze vanzelf afvallen, want het zou oneerlijk zijn als een wolf zo'n halsband voor altijd om moet houden.

HUILMACHINE Om het risico op verwondingen of stress te vermijden, worden technieken ontwikkeld waarbij de wolven niet gevangen hoeven te worden – bijvoorbeeld om geluiden te kunnen opnemen. Zo maakt een project in het Amerikaanse Montana gebruik van een zogenaamde 'Howlbox', een apparaat dat in het bos huilgeluiden afspeelt en reacties registreert.

WAANZINNIGE WANDELING In 2011 kreeg een wolf in Slovenië, die door onderzoekers Slavc werd genoemd, een halsband om. In vier maanden legde Slavc meer dan 2.000 kilometer af, door de bergen van Oostenrijk naar de boerderijen en wijngaarden van Verona in Italië. Hij stak snelwegen over, zwom door rivieren en trotseerde dikke sneeuw. Uiteindelijk ontmoette hij een wolvin, Juliet, en samen brachten ze meer dan zestien welpen groot.

WOLFSPERSPECTIEF

In 2021 gebruikten onderzoekers in Minnesota een halsband met een camera om de wereld te filmen vanuit het perspectief van een wolf. Ze maakten een hele zomer lang dagelijks filmpjes van 30 seconden en ontdekten dat wolf V809 veel dutjes deed en vaak jaagde op vis in de rivier.

SAMENLEVEN

MOETEN WE VOOR WOLVEN ZORGEN?

We moeten leren samenleven met andere dieren. De mens kan veel kapotmaken, maar we zijn ook in staat om veel goeds te doen. Mensen over de hele wereld proberen wolven te redden. De beste manier om ervoor te zorgen dat wilde dieren een toekomst hebben, is door hun leefgebied te beschermen.

GEEF ZE DE RUIMTE

Het wordt tijd dat we wolven meer aandacht en liefde geven! De meeste wilde dieren willen niet geknuffeld, maar met rust gelaten worden. We moeten leren om dieren de ruimte te geven die ze nodig hebben. Als we de natuur respecteren en leefgebieden beschermen, kunnen de wolvenpopulaties zich herstellen. Met meer wolven wordt de wereld gelukkiger, gezonder en wilder!

WEES VERSTANDIG Alle wolvensoorten hebben gezonde habitats nodig om te overleven. Mensen kappen nog steeds bossen, vervuilen rivieren en dragen bij aan de klimaatverandering, waardoor het voor planten en dieren steeds moeilijker wordt om te overleven. Maar als we stoppen met het vernielen van onze planeet, is het nog steeds mogelijk om de wolven te helpen.

STEREOTYPEN DOORBREKEN Een stereotype is een overtuiging die veel mensen delen en die vaak niet klopt. Zo zitten allerlei uitdrukkingen die we gebruiken vol stereotypen over dieren. Heb je je weleens afgevraagd waarom we 'zo dom als een koe' of 'een gulzig varken' of 'zo sluw als een vos' zeggen? Kun je stereotypen over wolven bedenken?

DOE MEE

Gelukkig verandert de manier waarop we naar wolven kijken. Er zijn zelfs speciale dagen waarop we ze vieren. Op 13 augustus is het 'Internationale Wolvendag' en in Noord-Amerika wordt er iedere derde week van oktober extra aandacht aan wolven besteed. Je kunt meedoen door zelf een wolvenfeest te organiseren of geld in te zamelen voor natuurbeschermingsorganisaties.

WOLVENWOORDEN

ARCHEOLOGEN: wetenschappers en historici die de oude overblijfselen van mensen en hun culturen bestuderen.

BEDREIGD: loopt de kans uit te sterven.

BRAKEN: volwassen wolven brengen halfverteerd voedsel uit hun maag naar boven zodat de jonge wolven het kunnen opeten.

CARNIVOOR: een dier dat voornamelijk vlees eet.

EVOLUTIE: de manier waarop een soort zich over langere tijd ontwikkelt, meestal om beter in staat te zijn om in een gebied te overleven en zich voort te planten.

FOKKEN: een groep dieren die wordt verzorgd om ze te helpen jongen te krijgen, bijvoorbeeld om ze opnieuw in het wild te introduceren.

FOSSIELEN: overblijfselen of vormen van prehistorische planten of dieren die in gesteente bewaard zijn gebleven.

GEDOMESTICEERD: door mensen getemd en als huisdier gehouden.

HABITAT: de natuurlijke omgeving van dieren en planten.

HERINTRODUCTIE: het uitzetten van planten of dieren in een gebied waar ze vroeger leefden, maar nu niet meer te vinden zijn.

HONDACHTIGEN: de zoogdierenfamilie waartoe honden, wolven, coyotes en vossen behoren.

KLIMAATVERANDERING: veranderingen op lange termijn in de temperatuur en de weerpatronen op aarde. Deze veranderingen worden niet alleen op natuurlijke wijze veroorzaakt, maar ook door menselijke activiteiten, waaronder het verbranden van fossiele brandstoffen zoals kolen en olie.

LICHAAMSTAAL: 'praten' met handelingen, niet met woorden.

MAGNETISCH VELD: een magnetische kracht die zich vanuit het middelpunt van de aarde uitstrekt in de ruimte.

NATUURBESCHERMING: het beschermen van dieren en de natuur, voor nu en in de toekomst.

NESTHOL: een plek in een hol in de grond of in een grot waar wolvenmoeders welpjes krijgen en ze voeden.

POPULATIE: het aantal dieren van dezelfde soort dat leeft op een bepaalde plaats, in een regio of over de hele wereld.

ROOFDIER: een dier dat andere dieren doodt of opeet.

SOORT: een groep dieren of planten die zich samen kunnen voortplanten.

TERRITORIUM: een gebied waar een dier of een groep dieren leeft en dat ze verdedigen tegen indringers van dezelfde soort.

TOENDRA: een uitgestrekt, koud, vlak en boomloos gebied.

UITSTERVEN: dan bestaat een dier of plant niet meer op aarde.

UITWERPSELEN: poep

VERWILDERING: een ecosysteem een kans geven om zich te herstellen door planten en dieren met rust te laten.

ZOOGDIEREN: dieren met een vacht die hun jongen met melk voeden.

REGISTER

Vertaling: Steven Blaas
Nederlandse rechten Lemniscaat b.v.,
Vijverlaan 48, 3062 HL Rotterdam, 2024

ISBN 978 90 477 1606 8 | NUR 223

Oorspronkelijke titel: *Are Wolves Afraid of the Dark?*
Oorspronkelijke uitgever: © 2024 Thames & Hudson Ltd,
181A High Holborn, Londen WC1V 7QX
Advies: Aimee Tallian

Gedrukt in China

Kijk voor spelletjes, lessuggesties en meer op:
www.lemniscaat.nl

FSC www.fsc.org
MIX
Papier | Ondersteunt verantwoord bosbeheer
FSC® C008047